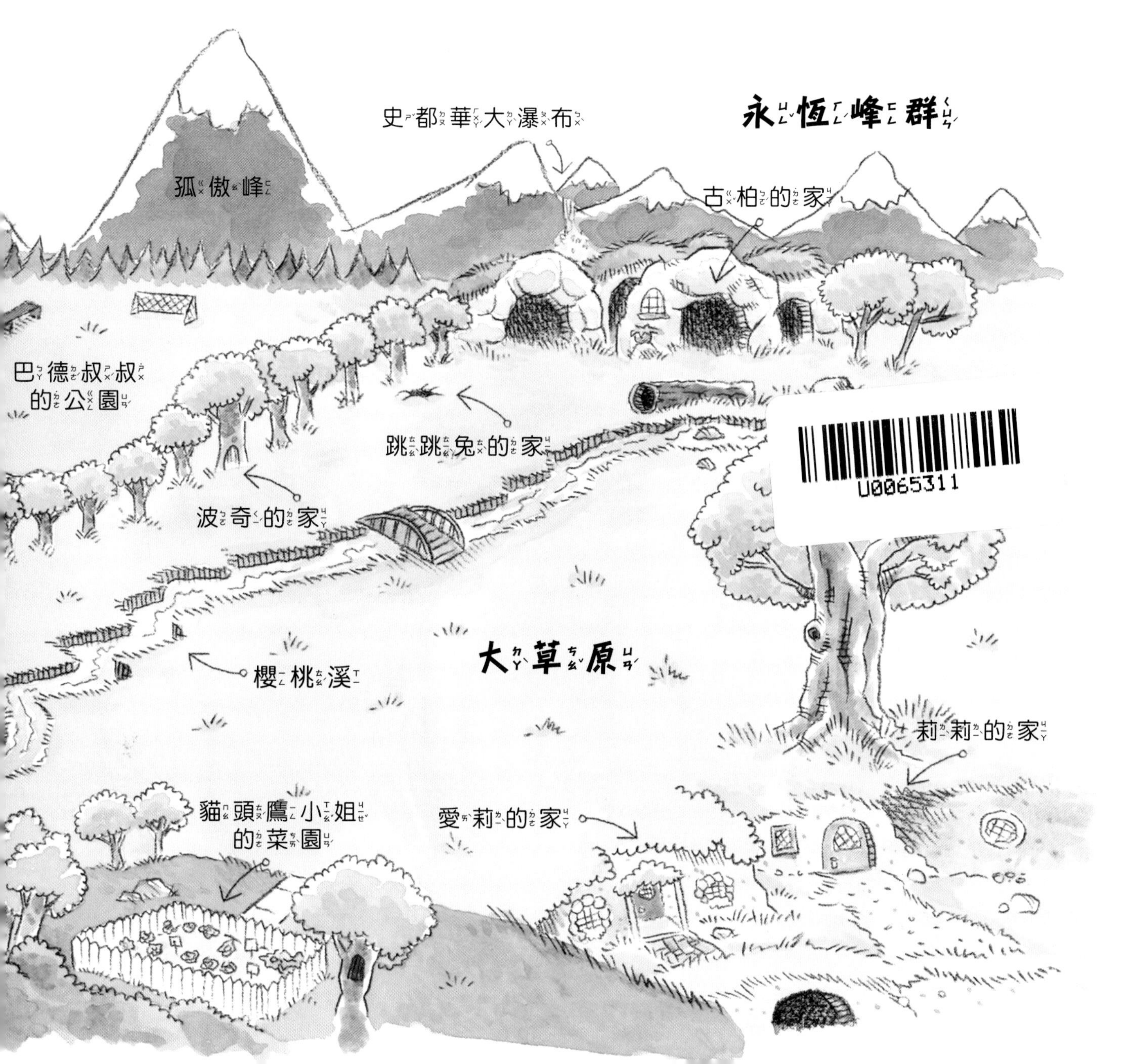
史都華大瀑布
永恆峰群
孤傲峰
古柏的家
巴德叔叔
的公園
跳跳兔的家
波奇的家
大草原
櫻桃溪
莉莉的家
貓頭鷹小姐
的菜園
愛莉的家

知識繪本館

幸福孩子的7個好習慣❷以終為始

# 等到我長大

文｜西恩・柯維 Sean Covey

圖｜史戴西・柯提斯 Stacy Curtis　譯｜黃筱茵

責任編輯｜詹嬿馨　美術設計｜陳宛昀　行銷企劃｜王予農

天下雜誌群創辦人｜殷允芃　董事長兼執行長｜何琦瑜

媒體暨產品事業群

總經理｜游玉雪　副總經理｜林彥傑　總編輯｜林欣靜

行銷總監｜林育菁　主　　編｜楊琇珊　版權主任｜何晨瑋、黃微真

出版者｜親子天下股份有限公司　地址｜台北市104建國北路一段96號4樓

電話｜（02）2509-2800　傳真｜（02）2509-2462　網址｜www.parenting.com.tw

讀者服務專線｜（02）2662-0332　週一～週五 09:00~17:30

讀者服務傳真｜（02）2662-6048

客服信箱｜parenting@cw.com.tw

法律顧問｜台英國際商務法律事務所・羅明通律師

製版印刷｜中原造像股份有限公司

總經銷｜大和圖書有限公司　電話｜（02）8990-2588

出版日期｜2023年4月第一版第一次印行

　　　　　2024年3月第一版第三次印行

定價｜280元

書號｜BKKKC231P

ISBN｜978-626-305-439-4（精裝）

訂購服務

親子天下Shopping｜shopping.parenting.com.tw

海外・大量訂購｜parenting@cw.com.tw

書香花園｜台北市建國北路二段6巷11號　電話｜（02）2506-1635

劃撥帳號｜50331356 親子天下股份有限公司

國家圖書館出版品預行編目資料

幸福孩子的7個好習慣.2,以終為始:等到我長大 / 西恩.柯維(Sean Covey)文；史戴西.柯提斯(Stacy Curtis)圖；黃筱茵譯. -- 第一版. -- 臺北市：親子天下股份有限公司, 2023.04

32面；20.3×17.8公分. -- (知識繪本館)

國語注音

譯自：The 7 habits of happy kids : when I grow up.

ISBN 978-626-305-439-4(精裝)

1.CST: 育兒 2.CST: 繪本

428.8　　　112001731

**文／西恩・柯維（Sean Covey）**

富蘭克林柯維公司的執行副總，專責教育部門。
史蒂芬・柯維之子，哈佛大學企管碩士。致力於將領導力原則及技能帶給全球的學生、教育工作者、學校，以期帶動全球的教育變革。
他是《紐約時報》的暢銷書作者，著作包括：《與未來有約》、《與成功有約兒童繪本版》，以及被譯成二十種語言、全球銷售逾四百萬冊的《7個習慣決定未來》。

**圖／史戴西・柯提斯（Stacy Curtis）**

美國漫畫家，插圖畫家和印刷師，同時也是理查德・湯普森（Richard Thompson）連環畫《薩克》的著墨人。柯提斯（Curtis）和他的雙胞胎兄弟在肯塔基州的鮑靈格林（Bowling Green）長大，年輕的史戴西（Stacy）夢想著在這裡創作連環漫畫。

**譯／黃筱茵**

國立臺灣大學外文系兼任講師。國立臺灣師範大學英語研究所博士班〈文學組〉學分修畢。曾任編輯，翻譯過繪本與青少年小說等超過三百冊，擔任過文化部中小學生優良課外讀物評審、九歌少兒文學獎評審、國家電影視聽中心繪本案審查委員等。近年來同時也撰寫專欄、擔任講師，推廣繪本文學與青少年小說。從故事中試著了解生命裡的歡喜悲傷，認識可以一起喝故事茶的好朋友。

獻給我女兒愛莉

**我的小公主，我永遠也不希望你長大**

——西恩・柯維 Sean Covey

獻給查爾斯・舒茲

**是你讓我先把目標放在心底**

——史戴西・柯提斯 Stacy Curtis

幸福孩子的7個好習慣②以終為始

# 等到我長大

文／西恩・柯維 Sean Covey

圖／史戴西・柯提斯 Stacy Curtis

譯／黃筱茵

7橡鎮的朋友們
豪豬波奇
跳跳兔
松鼠蘇菲
小熊古柏
臭鼬莉莉
松鼠山米
老鼠愛莉

老鼠愛莉該上床睡覺啦……

老鼠愛莉鑽進她的被窩中。

然後，奶奶念了一個關於

小女孩如何逐漸成長的故事給她聽……

奶奶講完故事後， 給了愛莉一個晚安吻。

「好好睡覺吧！」奶奶說。

奶奶離開後，愛莉躺在床上，根本睡不著。

「等我長大一點……

我也好想快點變成大『仍』喔！」愛莉說。

她開始想像長大以後會是什麼模樣……

她可以塗上各式各樣的化妝品，

戴上各種美麗的飾品。

獨自到商店買東西，

做出美味的食物。

創作自己的作品，

出去工作賺錢。

和朋友一起去史都華瀑布健行，

甚ㄕㄣˋ至ㄓˋ飛ㄈㄟ到ㄉㄠˋ外ㄨㄞˋ太ㄊㄞˋ空ㄎㄨㄥ旅ㄌㄩˇ行ㄒㄧㄥˊ。

「不過我得先做這些……」

去上學，

做家事，

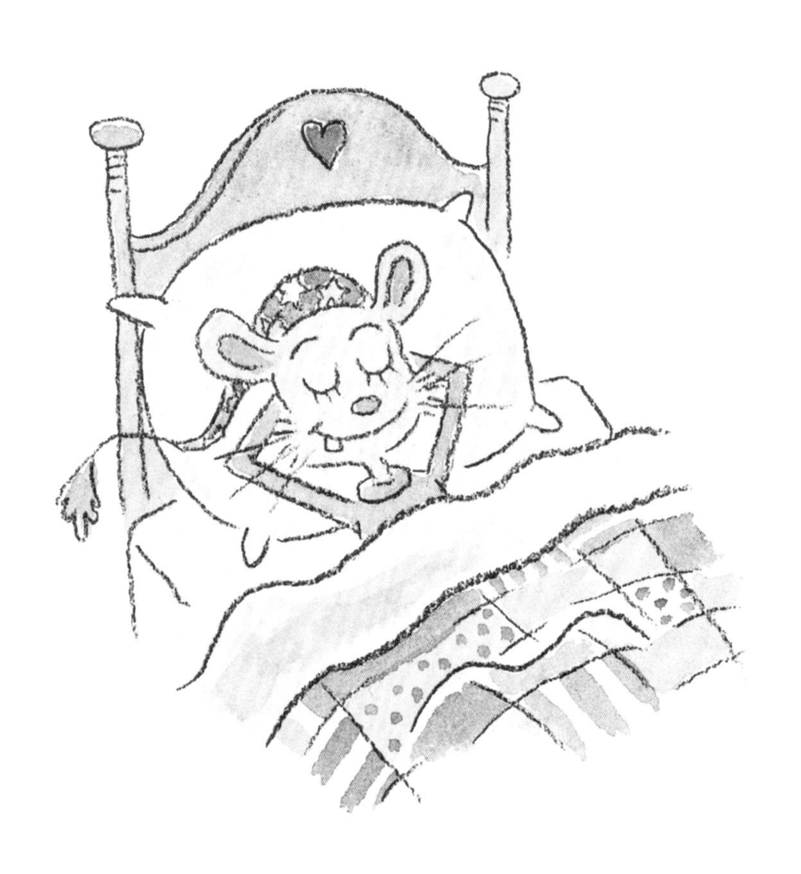

還要乖乖睡覺，

這樣我就可以變成大『仍』啦！」

愛莉翻了個身，
緩緩的閉上眼睛，
慢慢的進入夢鄉……

# 親子共讀小叮嚀

**第2個好習慣：以終為始——做事有目標，訂計畫**

我還記得在某個夜裡，幫我的女兒愛莉蓋好被子時，她告訴我她長大後想做的所有事情，像是生寶寶、開車，還有做出美味的食物（希望不是按照這個順序實現才好）。她的話讓我印象深刻，我很驚訝她竟然才三歲就已經能這樣具體的想像未來。巴克敏斯特・富勒說：「所有的孩子們出生時都是天才，只是一萬個孩童中，有9999個天才很快就不經意的被成人抹滅了。」確實，孩子們生來就擁有想像力的天賦，這是我們人類之所以獨特的四大天賦之一，此外還包括良知、自覺與意志力。我們都應該盡全力滋養想像力，而不是扼殺想像力。「以終為始」，先把未來的目標放在心底就是這個意思：把你期待的未來狀況具體化、視覺化，不論是一份工作、一段關係，或是一種感覺，接下來，就努力達到那個目標。你懂吧，所有的事物都會被創造兩次，第一次是用心靈的眼睛……接著才是真正被創造出來，只要問問海倫・凱勒、甘地、超人，或是灰姑娘就知道了。

這個故事讓我們看到愛莉是如何先將目標放在心底。她想像長大後會多麼有趣：她可以購物、烹飪、健行，甚至還能飛上外太空。她用心靈的眼睛創造出這樣的未來，還為這樣的想像增添鮮明的細節。不過她隨即了解：要獲得她期盼的明天，她必須先去做今天各種小小的事情，比如做家事、刷牙，還有睡覺。

## 一起來討論

1.在睡覺以前，奶奶講了什麼故事給愛莉聽？

2.愛莉長大後想做哪些事？她會在哪裡工作？她會創作什麼作品？她爬到史都華瀑布峰頂時，會有什麼感覺？

3.如果愛莉將來想當太空人，她需要怎麼做？

4.如果愛莉的夢想相形之下有趣多多，她為什麼還是需要刷牙和收拾玩具呢？

5.你長大後想做什麼工作？你會住在哪裡？會有什麼樣的感覺？你要怎麼做才能實現夢想呢？

## 你可以這樣做！

1.我們來設定計時器吧。用三十秒的時間，告訴爸爸或媽媽你長大後想做的所有事情。各就各位，準備，開始……

2.現在再設定三十秒的時間。這次跟你的爸爸媽媽分享你得做哪些準備才能實現將來的夢想。各就各位，準備，開始……

3.製作一本有趣的家庭雜誌。拿一枝筆，畫出出所有你見過的好玩的活動、地方和人們並將雜誌和朋友分享。

4.畫一張圖，畫出你長大後會是什麼模樣，記得要用很多顏色喔。

5.在你房間牆上貼一張紙，每次只要想到任何你長大後想做的事，就請哥哥姐姐或爸爸媽媽幫你寫在紙上。

永恆山峰群
沙丘
北方樹林
櫻桃溪
水獺之家
山羊島
爬爬丘陵
迷霧森林
野生樹林